KODÁLY ZOLTÁN

CHILDREN'S DANCES
for flute and piano

KINDERTÄNZE
für Flöte und Klavier

GYERMEKTÁNCOK
fuvolára és zongorára

Arranged by – Bearbeitet von – Átírta
BÁNTAI Vilmos, B. SIPOS Éva

EDITIO MUSICA BUDAPEST

Universal Music Publishing Editio Musica Budapest Zeneműkiadó Kft.
H-1370 Budapest, P.O.B. 322 • Tel.: + 36 1 236 1100
E-mail: info.emb@umusic.com • Internet: www.umpemb.com

CHILDREN'S DANCES
KINDERTÄNZE
GYERMEKTÁNCOK

1a
(orig. 1)

Arranged by BÁNTAI Vilmos, B. SIPOS Éva
Revised by ITTZÉS Gergely

KODÁLY Zoltán
(1882–1967)

1b
(orig. 1)

FINE
attacca ad lib.

Z. 15 069

2
(orig. 2)

Allegretto cantabile

D. C. No. 1b al Fine

3a
(orig. 4)

Moderato cantabile

4

3b
(orig. 4)

4

(orig. 6)

8

5

(orig. 5)

Allegro moderato, poco rubato

6

(orig. 8)

Friss [Vivo]

KODÁLY ZOLTÁN

CHILDREN'S DANCES
for flute and piano

KINDERTÄNZE
für Flöte und Klavier

GYERMEKTÁNCOK
fuvolára és zongorára

Arranged by – Bearbeitet von – Átírta
BÁNTAI Vilmos, B. SIPOS Éva

FLAUTO

EDITIO MUSICA BUDAPEST

Universal Music Publishing Editio Musica Budapest Zeneműkiadó Kft.
H-1370 Budapest, P.O.B. 322 • Tel.: + 36 1 236 1100
E-mail: info.emb@umusic.com • Internet: www.umpemb.com

FLAUTO

CHILDREN'S DANCES
KINDERTÄNZE
GYERMEKTÁNCOK

1a
(orig. 1)

Arranged by BÁNTAI Vilmos, B. SIPOS Éva
Revised by ITTZÉS Gergely

KODÁLY Zoltán
(1882–1967)

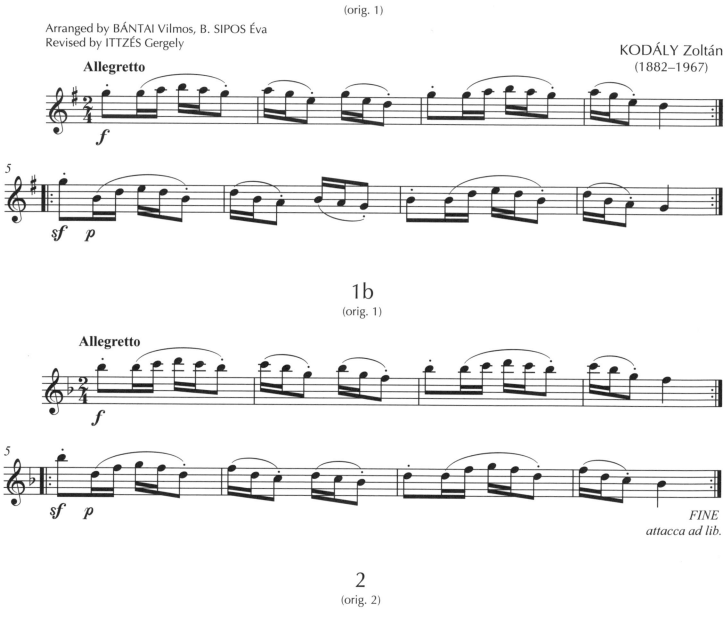

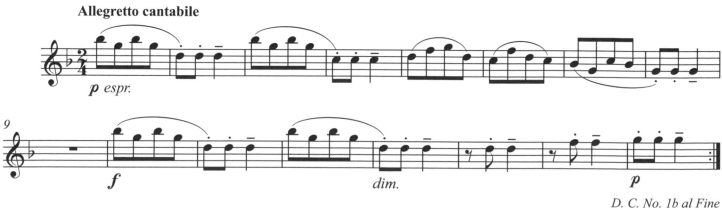

D. C. No. 1b al Fine

Z. 15 069

4
(orig. 6)

5
(orig. 5)

6

(orig. 8)

Friss [Vivo]

7

(orig. 12)

8
(orig. 10)

12

7
(orig. 12)

14

Z. 15 069

8
(orig. 10)

Művek fuvolára és zongorára
Works for flute and piano

Felelős kiadó a Universal Music Publishing
Editio Musica Budapest Zeneműkiadó Kft. igazgatója
Z. 15069 (4,9 A/5 ív) 2020/513. Generál Nyomda Kft.
Felelős vezető: Hunya Ágnes ügyvezető
Felelős szerkesztő: Kerékfy Márton – Műszaki szerkesztő: Metzker Gábor
A kottagrafika Dénesné Lukács Marian munkája
Printed in Hungary

Terjeszti / Distributed by:
Editio Musica Budapest Zeneműkiadó Kft.
1132 Budapest, Visegrádi utca 13. • Tel.: +36 1 236 1104
E-mail: emb@emb.hu • Internet: www.emb.hu